Uɴ LATIDO
A LA VEZ

Sharon Creech

Ilustraciones de Ixchel Solís

Un LATIDO
A LA VEZ

Traducción de Cecilia Aura

Castillo de la lectura

Dirección editorial: Antonio Moreno Paniagua
Gerencia editorial: Wilebaldo Nava Reyes
Coordinación de la colección: Karen Coeman
Cuidado de la edición: Pilar Armida y Obsidiana Granados
Supervisión de arte: Alejandro Torres
Diseño de portada: Gil G. Reyes
Formación: Zapfiro Design
Traducción: Cecilia Aura
Ilustraciones: Ixchel Solís

Un latido a la vez

Título original: *Heartbeat*

Texto D.R. © 2004, Sharon Creech

Editado por Ediciones Castillo por acuerdo con Writer's House LLC,
Nueva York, NY, 10010, EUA.

Primera edición: marzo de 2008
Cuarta reimpresión: junio de 2013
D.R. © 2008, Ediciones Castillo, S.A. de C.V.
Castillo ® es una marca registrada

Insurgentes Sur 1886, Col. Florida,
Del. Álvaro Obregón,
C.P. 01030, México, D.F.

Ediciones Castillo forma parte
del Grupo Macmillan

www.grupomacmillan.com
www.edicionescastillo.com
infocastillo@grupomacmillan.com
Lada sin costo: 01 800 536 1777

Miembro de la Cámara Nacional
de la Industria Editorial Mexicana.
Registro núm. 3304

ISBN: 978-970-20-1235-1

Impreso en México/*Printed in Mexico*

Para mi bella nieta,
Pearl Bella Benjamin,
y para mi bello amigo.
William C. Morris.
S. C.

Esta edición está dedicada
a la memoria de Cecilia Aura,
traductora y amiga.
K. C.

PISADAS

Pum-pum, pum-pum

pies descalzos golpeando el pasto
mientras corro corro corro
en el aire y como el aire
que se cuela entre los árboles
apenas rozando el suelo

paso tocando
pum-pum, pum-pum
aquí y allá
allá y acá

el pasto suave, húmedo

pum-pum, pum-pum

sabiendo que podría volar volar volar,
pero dejando que mis pies

pum-pum, pum-pum

toquen la tierra
al menos por ahora...

MAX

A veces, cuando corro
aparece un chico
como mi sombra lateral
emerge por entre los árboles
corriendo,
con pasos *pum-pum*,
a mi lado.

Hola, Annie, dice
y yo contesto, *Hola, Max*
y corremos
rápido
y
parejo
y
fácil

y no hablamos
hasta llegar al parque
y a la banca roja
donde descansamos.

Max es un chico raro
de trece
un año más grande que yo
profundamente serio
decidido.

Está entrenando
dice
entrenando para escapar.

ANTES DE NACER

Mi mamá dice
que yo corría corría corría
dentro de ella, incluso antes de nacer.
Podía sentir mis piernas haciendo un remolino
pum-pum, pum-pum
y dice que cuando nací
mis piernas salieron corriendo
como si fuera a salir disparada
en ese momento, allí mismo
y a desaparecer por completo de su vida.

Dice que esto la hizo reír
pero también la asustó,
porque me acababa de conocer
y no quería que huyera
tan pronto.

Dice que he estado
corriendo
corriendo
corriendo
desde entonces —o casi desde entonces—.

Corrí antes de gatear
corría del amanecer al atardecer
Y a veces de noche
veía mis piernas incansables
como si estuviera corriendo
dormida
por mis sueños.

Le digo que no se preocupe
que siempre volveré a casa
porque allí es donde
arranco.

NÁUSEAS

Estaba preocupada por mamá.

Empezó a dormir siestas
y dejó de comer
y vomitaba en el fregadero de la cocina
y en el baño
y en el coche

y yo estaba bastante segura
de que tenía una enfermedad mortal
y se consumiría
y moriría
y yo me quedaría sola
con mi papá
que lloraría

y yo correría correría correría
pero tendría que volver

pum-pum, pum-pum
pum-pum, pum-pum

tarde o temprano.

¡PERO!

¡Pero mamá no murió!
No tiene una enfermedad mortal.

En vez de eso, tiene un bebé que crece
dentro de ella
células diminutas
multiplicándose a cada segundo

y la náusea terminó
y ahora se siente bien:
como una diosa, dice

y miramos los libros
que muestran células
que se multiplican
y parece un milagro

y es extraño
y a veces espeluznante
y le pregunto si siente como si hubiera
    un extraterrestre
dentro de ella
y dice

A veces, sí.

Abuelo

El abuelo vive con nosotros
desde que la abuela murió
y ahora nosotros lo cuidamos
porque no se siente bien.

Dice que está cayéndose a pedazos
que pequeñas partes dejan de funcionar
y que su cerebro está hecho
de huevos revueltos.

En su pared hay fotos
de cuando era joven
y se parece a mí
con el cabello negro rizado
y las piernas largas y flacas

y con frecuencia se ve borroso
porque iba corriendo.

Una foto lo muestra de pie, erguido
con una medalla al cuello
y un trofeo en las manos
pero su cara no está sonriente
y cuando le pregunto por qué
no estaba contento
a veces dice:
No me acuerdo

y a veces dice:
¿Ése soy yo?

y a veces dice:
Yo no quería el trofeo

y cuando le pregunto por qué
no quería el trofeo
a veces dice:
No me acuerdo

y a veces dice:
Un trofeo es una tontería.

EL CORREDOR

Mamá dice que el abuelo era campeón de
    carreras.
Ganó los torneos regionales cuando tenía
    nueve años
y el campeonato estatal a los doce
y el nacional a los quince
y luego
dejó
de correr

y no quiso decir por qué

y no volvió a correr
hasta que mi mamá cumplió tres años
y los dos pudieron correr
juntos

y ésa, le dijo mi abuelo a mi madre,
era la única forma de correr
que practicaría de nuevo
porque era la mejor forma de correr
y la única
que significaba algo para él.

Malhumorado max

Malhumorado Max
Malhumorado Max
me quiebra la cabeza.

Lo conozco desde siempre.
Nuestros abuelos solían llevarnos
al mismo parque
hacia donde corremos ahora.

Nos balanceábamos uno al otro
en el sube y baja
nos echábamos arena
excavábamos la tierra juntos.

Crecimos
jugábamos a aventarnos piñas de los pinos

nos empujábamos en los columpios
y nos correteábamos por el pasto.

Max se reía un instante
y fruncía el ceño al siguiente
me pellizcaba el brazo
y luego besaba la marca del pellizco.

Entonces su papá se fue
y su abuelo murió
y Max se volvió más callado
más serio
y cuando corría
golpeaba la tierra
con sus pies
y corría más lejos y más rápido
como si pudiera correr
para salirse de su vida.

Cree que estoy muy consentida
porque tengo dos padres
y un abuelo

y quizá tenga razón.

Pies descalzos

Siempre corremos descalzos
Max y yo
porque nos gusta sentir
el suelo
bajo nosotros

tierra arenosa
hojas lisas
ramas crujientes
guijarros pulidos.

Incluso cuando hace frío
corremos por el camino duro, congelado
las plantas de los pies descalzas
golpeando el suelo.

Incluso cuando nieva
(que casi nunca sucede)
volamos a través de la pelusa blanca
los dedos de los pies hormigueando

nuestros pies rojos
y vivos.

Algunas personas piensan
que estamos un poco locos
corriendo descalzos
en la lluvia y el lodo y la nieve

pero a nosotros no nos lo parece.

Nos parece que eso es lo que hacemos

y es una de las cosas
que más me gustan de Max:
que corra
descalzo
conmigo.

BOLETOS

Voy corriendo por el sendero
detrás de la iglesia
cuando mi sombra lateral
Max
aparece
y empieza a correr a mi lado
pum-pum, pum-pum.

Hola, Annie

Hola, Max

y así rodeamos la curva
pasamos al lado de cuatro abedules blancos
altos y delgados
con hojas de oro

y la corteza descascarada
como tiras de papel rizado

y mi aliento sale
hacia el aire
hacia los árboles
hacia las hojas

y su aliento sale
hacia el aire
hacia los árboles
hacia las hojas

e inhalamos
el aire y los árboles y las hojas

e inhalamos
nuestros alientos mezclados

y *pum-pum, pum-pum*
bajamos por la colina
al arroyo

un s-a-l-t-o hacia la orilla

colina arriba
pasamos el viejo y descolorido granero rojo

con un lado pandeado hacia dentro
como un gran hoyuelo

alrededor de los pastizales
recién podados
el olor del pasto que crece
hojas verdes finas que se pegan
a nuestros pies descalzos y bronceados

hasta alcanzar la banca roja
junto al sicomoro
con su tronco moteado
y sus grandes hojas amarillas

y nos dejamos caer sobre la banca
y respiramos respiramos respiramos

mientras Max mide su tiempo
en el reloj de bolsillo de su abuelo
y se ve molesto
y dice que tendremos que
aumentar nuestra velocidad al regreso

y le digo
que él puede acelerar si quiere
pero que mi velocidad está bien
muchas gracias

y él dice que nunca llegaré a ningún lado
si no acelero

y le digo
que no necesito ir a ningún lado

y dice
Puede que algún día cambies de opinión
y sea demasiado tarde.

Mueve los pies
flexiona los tobillos
Estos pies son mis boletos
para salir de aquí
dice
suena rudo
como el chico de alguna película
no como el Max que yo conozco.

Miro mis pies
que no me parecen boletos.
Parecen dos pies
bronceados por el sol
a los que les gusta correr.

EL EXTRATERRESTRE

Es difícil de creer
que el bebé extraterrestre
de verdad está creciendo dentro de mi mamá
porque no puedes ver nada
y ella no puede sentir nada,
dice que aún no

y a veces sueño
que no hay un bebé humano allí dentro
sino un conejo
o un ratón.

Una vez soñé que era
un caballo miniatura
sedoso y suave
con cascos diminutos

y cuando nacía
mi mamá decía
¡Oh! ¡Un caballo!
¡No era lo que me esperaba!

Y yo le decía que debíamos conservarlo
de todos modos
aunque no fuera
lo que esperábamos
porque era un caballito
bastante simpático.

El bebé va a dormir
en mi cuarto.
Es una habitación pequeña, pero cabe
    una cuna
y me da gusto que el bebé
vaya a estar conmigo
aunque mi mamá diga
que puede ser molesto al principio
porque gemirá y llorará.

El abuelo dice que el bebé debería tener
su habitación
y que él tendría que apresurarse
a estirar la pata
para hacerle lugar a ese bebé

y mi mamá le dice al abuelo
que no puede estirar la pata
que no se lo permite
porque el bebé extraterrestre
necesita ver a su abuelo

y a veces el abuelo se olvida
del bebé
y cuando mi papá compró
una ropita minúscula de bebé
el abuelo dijo
¿Alguien va a tener un bebé?

Así que volvimos a hablarle
del bebé extraterrestre que crece
dentro de mi mamá
y el abuelo asintió con la cabeza
y dijo, de nuevo,
que debería estirar la pata
para hacerle lugar al bebé.

Salgo a correr
pum-pum, pum-pum
en el aire, en el viento,
bajo el sol de otoño
y pienso en el abuelo

cuando era joven
corriendo corriendo corriendo
y me pregunto cómo se sentirá
no poder correr más
y ni siquiera recordar
que alguna vez pudiste correr

y parece como si
se estuviera evaporando
o encogiendo
desapareciendo:
pedacitos que se desvanecen cada día

mientras el bebé extraterrestre
crece más y más
células que se multiplican
que espero sean células de bebé
y no células de ratón o conejo o caballo.

MADRE DEL MUNDO

Vivimos en una casa pequeña y amarilla
en la orilla de un pueblo pequeño
con una calle principal
y dos semáforos.

Max vive en un departamento
no lejos de mí.

Dice que odia nuestro pueblo
y que algún día vivirá en una gran ciudad
donde nadie sabe lo que haces
donde hay
un millón de oportunidades
y donde incluso él:
"un chico de pueblo
sin papá"

(así se describe a sí mismo),
incluso él pueda ser alguien.

Se enoja cuando le digo
que ya es alguien.

Con frecuencia me recuerda
que cuando yo tenía siete años
él me preguntó qué quería ser
cuando creciera
y mi respuesta fue
¡Madre del mundo!
aunque ahora no tenga idea
de por qué lo dije ni qué quería decir.

Max dijo, a los siete años,
que iba a ser un atleta famoso
y que organizaría campamentos
gratuitos
por todo el país,
para que niños como él
pudieran correr
y jugar
y ser libres
sin tener preocupaciones.
Y eso sigue siendo
lo que Max quiere ser y hacer.

Max también me recuerda
que cuando yo tenía diez años
de pronto brinqué de un columpio
y dije
¿Por qué estamos aquí?

Recuerdo ese momento:
cómo me columpiaba
y me sentía tan contenta y libre
observando a la gente en el parque
a todas las mamás y los papás y
las abuelas y los abuelos y
los niños
que iban de aquí para allá

pero de pronto me estremecí
sintiéndome sola y alejada,
mareada de ver a todas esas personas
y de multiplicarlas por todas las personas
en todos los pueblos y las ciudades
del mundo

y brinqué del columpio
con mi pregunta urgente:
¿Por qué estamos aquí?

¿En el parque? preguntó Max.

¡*No!* grité.
¿Por qué estamos aquí
en este mundo?

Max frunció el ceño.
Yo no sé, ¿o sí?
dijo.

¿Se supone que tengo que hacer algo
importante?
No me parece suficiente
simplemente ocupar espacio
en este planeta
en este país
en este estado
en este pueblo
en esta familia.

Sé por qué Max quiere ser
un atleta famoso
pero aún no sé
lo que yo debería ser
o
hacer.

PREGUNTAS

Cuando le pregunto a Max por qué odia
nuestro pueblo
se encoge de hombros
dirige sus ojos gris profundo hacia mí
y voltea y mueve el brazo
en el aire
como si lo pasara por encima de todo el pueblo
y dice
Demasiado pequeño.
Siempre lo mismo.
Quiero ver qué hay más allá...
y se para de puntitas
como si pudiera ver más allá de las copas
de los árboles
el resto del mundo.

No entiendo a Max.
A mí el pueblo me parece enorme
y nunca es el mismo
todo cambia:
la luz, los olores, los sonidos
y la gente que viene y va
y crece y envejece.

Cuando Max dice que organizará
campamentos
para *niños como él*
le pregunto qué tipo de niño es ése
y vuelve a dirigir su mirada hacia mí
y la deja allí
y la deja allí
y la deja allí
al tiempo que levanta una mano
para quitarme una hoja del pelo
y dice
Niños que no tienen nada.

Y no espera mi respuesta.
Arranca y se va corriendo
mientras yo me pregunto si soy parte
de
la
nada.

MIEDOS Y AMORES

Mi profesor, el señor Welling, nos pidió
hacer una lista de las cosas que nos dan miedo.

Yo no quería hacerla
mi mente no quería ir allí

hasta que el señor Welling dijo que, después
de hacer la lista de las cosas que nos dan miedo
haríamos una lista de las cosas que amamos.

Cosas que me dan miedo:

Me da miedo la guerra,
los disparos y los asesinatos
que otra gente mate a nuestra gente

porque nuestra gente mató a su gente
porque su gente mató a nuestra gente
y así y así
hasta que quizá no quede nadie más.

Me da miedo morir
y que mi familia muera

me da miedo desaparecer
sin saber
que has desaparecido
o quedarte solo
sin nadie que te quiera.

Cosas que amo:

Amo correr

fuera, al aire libre
oliendo los árboles y el pasto
sintiendo el viento en mi rostro
y el suelo bajo mis pies.

Amo dibujar
porque se siente como si corrieras
en tu mente

y en una página en blanco
aparece una imagen
recién salida de tu mente
un tesoro fantasma.

Amo reír

y oír reír a la gente
porque el sonido
reverbera y es libre y pleno.

Amo muchas, muchas cosas

que suenan demasiado tontas
para escribir sobre ellas.

Más tarde, oigo a los demás hablar sobre
sus miedos y amores.

Algunos temen:
el álgebra y los exámenes
los ensayos y las composiciones.

No soy buena para estas cosas,
pero no les tengo miedo
y me pregunto si estoy equivocada.

Me pregunto si se *supone* que debo temerles.

Muchos de ellos aman:
los dulces y la televisión
los fines de semana y dormir.

A mí me *gustan* estas cosas
pero no las *amo*
y me pregunto si se *supone* que debo amarlas

y me pregunto si
hice mal el ejercicio

y cuando veo mi propia lista
de miedos y amores
me parecen demasiado grandes
tal vez no son lo que el profesor tenía en mente

tal vez no

pero me enterco
y no los borro.

CALABAZA EXTRATERRESTRE

Mi papá le habla al bebé extraterrestre
dirigiendo sus palabras
hacia el abdomen de mamá:

Hooolaaa, bebé calabaza extraterrestre
dice
¿cómo estás?

Consulta el libro sobre bebés.
Veamos, bebé calabaza extraterrestre,
ya casi tienes cuatro meses
y eres de este tamaño
(separa las manos
como diez centímetros)
y ya tienes dedos en las manos y en los pies
¡y te están saliendo pequeños brotes de dientes!

Mi padre parece sorprendido
y mi madre sonríe
y yo intento imaginar
cómo sucede esto.
¿Cómo sabe el bebé extraterrestre
qué hacer para que le crezcan dedos
y pequeños brotes de dientes?

Paso mi lengua sobre mis propios dientes
lisos y resbalosos
como piedras pulidas.

Siento el espacio delgado
entre los del frente
una puerta estrecha
por donde se filtra un poco de aire.

Y pienso en los dientes del abuelo,
en un viejo frasco de mermelada
sobre un mantelito de encaje
junto a su cama.

Esa noche sueño
con una calabaza extraterrestre
redonda y naranja brillante
con dos hileras de dientes blancos
castañeando.

POLLO FRITO

La habitación del abuelo está junto a la mía
¡Annie!, me llama. *¡Annie, Annie, Annie!*

Entro de prisa
lo encuentro sentado en el sillón azul.

Un pedazo de papel descansa sobre su regazo
un lápiz en su mano.

¡Annie, Annie!
¿Cómo hacía yo el pollo frito?

Me reiría si no estuviera tan serio
cuando me lo pregunta
el ceño fruncido
los ojos grandes y abiertos.

¡No puedo acordarme de cómo hacía el pollo frito!

Toco su mano y
le digo que voy a preguntarle a mi mamá
y el abuelo dice
¡Apúrate!

Mi mamá está en el jardín trasero,
segando los restos de lavanda
de una planta que se heló.

Huele esto
dice
frotando las hojas plateadas entre sus dedos
y acercándolas a mi nariz.

Es un olor que tranquiliza y calma,
más suave que el pino
más dulce que las rosas.

Le cuento sobre la pregunta del abuelo
y mi madre se queda perpleja.

Dice
Pero si el abuelo hizo pollo frito
cada semana durante, durante, ¡tal vez
cuarenta años!

¿Cómo puede no acordarse de cómo hacer
   el pollo frito?

Se limpia las manos en sus jeans
y va con el abuelo
y le explica exactamente cómo
el abuelo solía hacer el pollo frito
que es exactamente como mi mamá
lo hace ahora.

Cuando termina su explicación
el abuelo dice
Otra vez. Quiero escribirlo.

Así que mamá repite el proceso
y el abuelo lo escribe todo
y luego dice
Ahora dime, ¿cómo hiciste esas fresas?

¿Fresas? dice mi madre.

Ya sabes, las preparaste una vez
cuando tu mamá y yo fuimos a visitarte
y vivías en el departamento amarillo

¡Pero eso fue hace diez años!
dice mi madre

sentada en la cama, al lado
del sillón del abuelo.

El abuelo agita su mano en el aire.
Las pusiste en un tazoncito blanco
fresas
bien cortadas.
Estaban tan buenas.
¿Cómo las hiciste?

Mi madre se muerde el labio.
Creo que sólo las corté.
Compré unas fresas
y las corté
y las puse en ese tazón.
Quizá les rocié un poquito de azúcar
   encima.
Eso fue todo lo que hice.

El abuelo asiente.
Fueron unas fresas muy ricas.

En la habitación de mis padres
levanto la camiseta blanca minúscula
de la canasta en donde están
algunas cosas para el bebé.

La camiseta parece infinitamente pequeña,
demasiado pequeña para cualquier persona
y me pregunto si el bebé extraterrestre
podrá pensar ahora
y si puede pensar
¿en qué piensa?

¿Y en qué pensaba yo
cuando era pequeña
y por qué lo olvidé?

¿Y qué otra cosa olvidaré
cuando sea mayor?

Y si olvidas,
¿es como
si nunca hubiera sucedido?

¿Acaso ninguna de las cosas
que viste o pensaste o soñaste
importarán?

Doblo la camiseta y la vuelvo a poner
    en la canasta
y bajo corriendo las escaleras
y salgo por la puerta

y pego un salto desde la terraza
hacia el aire helado
y corro corro corro
sobre hojas caídas
amarillas y cafés
escarchadas:
crunch, crunch, crunch.

Ahorrar

Cuando paso corriendo frente a la iglesia
veo a la señora Cover
y me llama
¡Ana Banana!
¿Vas a limpiar mi terraza hoy?

Si, señora Cover over
Iré más tarde

y me saluda
mientras corro colina arriba.

En el verano, podo el jardín de la señora Cover
con su vieja podadora mecánica
que huele a óxido y aceite.

Es un jardín pequeño, fácil de podar
y cuando terminas
parece como si hubieras hecho
mucho más
que caminar de un lado a otro
unas cuantas veces con una vieja podadora
y la señora Cover queda tan complacida
con su pasto recién podado.

Actúa como si fuera el mejor regalo
que hubiera recibido en mucho, mucho tiempo.

En el otoño, rastrillo sus hojas
y en el invierno, ordeno la cochera
y la terraza de atrás,
ambas llenas de cosas viejas que rechinan:
bancas y sillas y lámparas
mohosas, polvorientas e intrigantes.
(¿Quién se sentó en esta banca? ¿Y en esta silla?
¿Quién usó esta lámpara?).

Ella me paga por estos quehaceres
aun cuando mi papá me ha dicho
que debería hacerlos gratis,
pero la señora Cover insiste
diciendo que debo ahorrar el dinero
para algo especial.

Sé exactamente qué voy a comprar
y estoy pensando en esto cuando
escucho
¡Hola, Annie!

¡Hola, Max!

y unimos nuestro ritmo *pum-pum*
uno junto al otro
mis pies cosquilleando en la tierra helada

y cuando llegamos a la banca
de pronto me siento tímida con Max
consciente de sus largas piernas y largos brazos
y de su aliento flotando en el aire
y el silencio parece llenarse de algo
que no entiendo

así que lleno el silencio.

Le cuento de los quehaceres para la señora Cover
y del dinero
que estoy ahorrando para algo especial
y sé que a Max le pagan por trabajar en la
    cafetería
así que le pregunto si está ahorrando para
    algo especial

y ni siquiera parpadea
mueve los pies y dice
¡Tenis para correr!

Y me dice que necesita tenerlos
para las carreras de atletismo en primavera
porque el entrenador no lo deja correr descalzo
y necesita comprarlos con tiempo
para hormarlos
y espera que funcionen
porque tiene que ganar las carreras
tiene que hacerlo

y luego me dice
de nuevo
por enésima vez
que debería unirme al equipo de las chicas
que soy una tonta si no lo hago
y que a qué le tengo miedo

y le digo que no tengo miedo
que no quiero unirme al equipo
que me gusta correr sola
o con Max

y sabe que estoy enojada
así que me pregunta para qué estoy ahorrando.

Le cuento
sobre la caja de carboncillos,
suaves y negros como la noche
y de los lápices de colores
que tienen todos los colores pastel
y del papel
grueso y blanco
en el que puedes dibujar
lo que quieras

y asiente con la cabeza
como si entendiera lo mucho que deseo
los lápices y el papel
y por qué no son comunes y corrientes
sino especiales
y esto me gusta de Max
que no tengo que explicarle;

pero luego, cuando nos damos la vuelta para
    regresar
dice,
como si no pudiera evitarlo,
Pero, en serio, deberías unirte al equipo

y sale corriendo

pum-pum, pum-pum

y mi corazón se sincroniza con el ritmo
    de mis pasos

pum-pum, pum-pum

cuando salgo corriendo tras él
olvidando los lápices y el papel
y el equipo al que no quiero unirme

olvidando todo
mientras corro.

Notas al pie de página

En la escuela estamos aprendiendo
notas al pie de página.[1]

Me hizo reír saber que se llamaban
notas al PIE.

Me imaginé pequeñas anotaciones en mis pies
y no podía parar de reírme
mientras el señor Welling intentaba explicar
por qué necesitamos hacer notas al pie[2]
y el formato exacto, correcto

[1] Como ésta.
[2] Para mostrar dónde encontramos información o,
en ocasiones, para explicar algo más a fondo.

y tuvimos que practicar
todo de manera exacta y correcta
con las comas y los dos puntos
en el lugar adecuado.

Fue muy
pe-cu-liar.

Y me gustó que todo quedara
en el lugar adecuado
y saber que había un plan
para hacerlo correctamente

pero luego no me podía sacar las notas al pie
de la cabeza
y comencé a ponerlas en todas partes:
en los exámenes de ortografía
y en la tarea de matemáticas

y casi en todas partes
donde quería añadir una pequeña explicación
(que normalmente no tienes oportunidad
de incluir en los exámenes o la tarea)

pero no estoy segura de que todos mis
profesores
aprecien las notas al pie de página[3]

y ahora estoy soñando
con notas al pie,
lo cual es algo peculiar.

Soñé que corría al lado del granero
y en mi cabeza aparecía una nota al pie
que decía
Granero rojo descolorido

y cuando pasé por la iglesia
vi una nota al pie:
Iglesia vieja de piedra,
y así sucesivamente
notas al pie para cada cosita

y cuando me detuve en la banca roja
y me miré las plantas de los pies
todas las notas al pie estaban escritas allí,
con carboncillos

[3] Una profesora escribió "Muy chistoso", pero otra
puso dos enojados y rojos signos de interrogación
junto a cada nota al pie.

y por alguna razón me daba gusto
que las notas estuvieran allí
grabadas en mis pies:

notas al pie.

EL ESQUELETO

Mamá dice que nos tiene una sorpresa
a mí y a papá y al abuelo
y hace que cerremos los ojos
mientras registra su bolsa
y luego dice
¡Ábranlos!

En su mano hay algo que parece ser
una fotografía en blanco y negro
de piedras grisáceas sobre un fondo negro
   y profundo.

El abuelo le echa un vistazo.
Creo que tu cámara necesita una reparación
dice.

Mi papá está emocionado.
¿Ése es...? ¡Oh, vaya!
La inspecciona, entrecierra los ojos,
la voltea de cabeza.

¿Pero dónde...? ¿Qué...?

Y luego recuerdo que hoy
mi mamá fue a que le hicieran un
    ultrasonido
y que ésta debe ser una fotografía del bebé.

Le arrebato la fotografía a mi papá
y la volteo al derecho y al revés
y mi mamá se ríe
y finalmente dice
Mira, así,
y voltea la fotografía
y traza las formas
Ésta es la cabeza
y éste es el pecho
y éste es un brazo
y éste es un pie...

Mi papá, el abuelo y yo la miramos fijamente.
Me pregunto qué piensan ellos.
Yo estoy horrorizada.

Parece la cabeza de un esqueleto pequeño
y no se ve nada bonita
y me siento muy apenada de que
vayamos a tener
un bebé tan horripilante.[4]

Pero mi mamá explica que estamos
viendo los huesos de la cabeza
como en una radiografía
y que la forma de la cabeza cambiará
y que *claro* que tiene piel
y la partera dijo
que el corazón y todos los órganos
estaban donde tenían que estar
y que el bebé se veía perfecto
en todos sentidos

lo cual fue un alivio para mi papá
y para el abuelo y para mí

y de verdad espero que la partera tenga razón.

Mi mamá dijo que durante el ultrasonido
pudo ver los brazos moverse
como si el bebé la estuviera saludando.

[4] Un bebé *extremadamente* aterrador.

y dijo que la siguiente cita
caía en sábado, así que papá y yo
podríamos ir y escuchar el latido...
¡el *latido*!

Una lágrima rodó por la mejilla del abuelo.

¡Oh, Papá, tú también puedes venir!
dijo mi mamá.
Si tienes ganas...

El abuelo asintió
mientras otras dos lágrimas rodaban
por su mejilla.

Mamá le dio unas palmaditas en la mano
y nos dijo a mí y a papá que quizá
deberíamos dejar de llamar al bebé
"bebé extraterrestre"
porque podía oírnos
y que deberíamos
ponerle un nombre más bonito
para no herir
sus sentimientos.

UNA MANZANA AL DÍA

Dos veces por semana, en la escuela,
tenemos clase de arte con la señorita Freely
en un salón donde me gustaría vivir
con amplias mesas de dibujo
y caballetes
y el suelo salpicado de pintura
y batas para cubrir la ropa
y cajones con papel
y lápices
y pinturas.

Ayer, la señorita Freely dijo
que íbamos a dibujar manzanas.

¿Manzanas? dijo Kaylee.
¿Manzanas comunes y corrientes?

La señorita Freely dijo
Ninguna manzana es común.
Ya lo verás.

Dejó que cada quien escogiera una manzana
de una canasta:

la mía era roja con pecas verdes
de un lado
y un rubor amarillo del otro.

La señorita Freely nos pidió que
estudiáramos la manzana.

¿Estudiar la manzana? preguntó Kaylee.

Sí, dijo la señorita Freely.
Estúdienla todo el tiempo que quieran,
y luego dibujen una manzana.

¿Sólo una? dijo Kaylee.

Sólo una por hoy,
dijo la señorita Freely.
Llévense la manzana a casa.
Dibujen esta misma manzana todos los días.

¿Todos los días? preguntó Kaylee.
¿Cada día?

Sí, dijo la señorita Freely.

¿Durante cuánto tiempo? preguntó Kaylee.

Durante cien días, dijo la señorita Freely.

¿Cien días?
¿Dibujar cien imágenes
de la misma tonta manzana? preguntó Kaylee.

Kaylee se volvió hacia mí y dijo
Son demasiados dibujos
de una sola manzana.

Sí parecían muchos.
Me pregunté si nos cansaríamos
de dibujar manzanas, manzanas, manzanas.

La señorita Freely dijo
Pueden dibujar otras cosas, también,
como de costumbre
siempre y cuando también dibujen una manzana
cada día.

¿Incluso los días que no tenemos clase de arte?
preguntó Kaylee.

Sí, dijo la señorita Freely.
Creo que descubrirán un par de cosas
*   interesantes.*
Creo que descubrirán lo extra-ordinario
de una manzana.

Estaba impaciente por dibujar mi primera
    manzana
y sabía exactamente con qué la dibujaría:
lápices de colores
y sabía exactamente qué papel usaría:
el papel blanco, liso, grueso
que deja a los lápices deslizarse sobre él.

Kaylee terminó de dibujar su manzana
en tres minutos
y luego regresó a dibujar
lo que realmente quería dibujar:
un sombrero con plumas.

Estudié mi manzana durante mucho rato.
Sería difícil lograr obtener la redondez
sobre el papel

así que miré los libros
sobre sombreado y perspectiva
para ver cómo los verdaderos artistas
hacen que las cosas redondas se vean redondas
sobre el papel plano.

La señorita Freely recorría el salón
como suele hacerlo
deteniéndose para estudiar el trabajo de
cada uno
y responder preguntas y
ofrecer sugerencias como
Me pregunto, ¿qué pasaría si
probaras un color diferente aquí?

Cuando llegó conmigo, me dijo
Me gusta mucho tu trazo
que es algo que me dice
con frecuencia
Tienes un trazo inconfundible
pero no sé exactamente
qué quiere decir
porque algunos de mis trazos
son rectos y otros son curvos
y no veo de qué manera mis trazos
son diferentes a los de otras personas.

Todos los demás terminaron el dibujo de una
manzana en clase,
pero yo solamente logré terminar el contorno
así que la señorita Freely me dejó
llevarme a casa cuatro colores[5]
y todos nos llevamos nuestras manzanas
y mientras corría esa tarde
pensé en la manzana
y pensé en ella
y pensé en ella
y cuando llegué a casa
dibujé la manzana número uno.

Parecía una manzana
que es lo mejor que puedo decir
sobre ella.

Se veía un poco tiesa
se parecía demasiado al dibujo de una
    manzana
sin nada de la sensación de una manzana.

[5] Amarillo, verde, naranja, café.

LATIDO

Espero que el latido
de bebé extraterrestre
suene como el mío
pum-PUM, pum-PUM

y mientras la partera
acerca el Doppler
(que parece un micrófono)
al abdomen de mi mamá
mi papá y yo miramos
fijamente
como si mirar así nos ayudara a escuchar

y ¡entonces...!
oímos el sonido de algo que se apresura
a-ushh-a-ushh-a-ushh

muy rápido
como si el bebé extraterrestre
corriera con ganas
a-ushh-a-ushh-a-ushh-a-ushh

el sonido de un corazón real
un corazón bebé
que late, late, late

a-ushh-a-ushh-a-ushh
mientras nuestro pequeño bebé se apresura

y siento como si
éste fuera mi equipo
mamá y papá y yo
y el bebé
a-ushh-a-ushh-a-ushh

y también el abuelo,
que no se sentía muy bien
para venir con nosotros, y está en casa,
recostado en su cama.

LA ENTRENADORA

Hoy la entrenadora del equipo de atletismo
    de chicas
me detiene después del almuerzo.

Max me dijo que eres muy buena corredora
dice.

No sé qué decirle.

Deberías formar parte del equipo de atletismo
dice.

No, gracias.

Me estudia y dice
Necesitamos buenas corredoras.

No, gracias.

Está molesta conmigo
pero veo que está intentando
no demostrarlo.

Dice
Es muy divertido.

¿Por qué la gente no escucha cuando dices no?
¿Por qué piensan que eres demasiado estúpida
o demasiado joven
para entender?
¿Por qué piensan que eres demasiado tímida
para contestar?
¿Por qué tienen que seguir fastidiando
hasta que digas que sí?

Lo siento, digo, *no quiero.*

Sonríe con su mejor sonrisa y dice
*¿Por qué no vienes un día a la práctica
y ves cómo son las cosas?*

Quiero golpearla
pero claro que no la golpearé
porque ésa no es una reacción muy civilizada.

Quiero decirle que he visto las prácticas
y que no me llaman la atención.

Todas hacen los mismos calentamientos
las mismas carreras
los mismos ejercicios de enfriamiento.

Nadie corre hasta que se le sale el corazón
nadie corre descalza
nadie sonríe.
Nadie se deja ir libre.

Y alguien debe ganar
y alguien debe perder
y la ganadora siempre se ve orgullosa
y la perdedora se ve desolada

y no puedo entender por qué todas ellas
arruinarían algo tan bueno
como correr
pero sé que la entrenadora no va a dejarme
    en paz
hasta que diga algo que la deje ganar
así que digo
Bueno, a lo mejor voy a ver.

Pero no lo digo en serio.

La patada

Después de la cena, mi mamá se acomoda
en el sofá
y sube los pies.

¡Oh!
dice de pronto.
¡Oh! ¡Oh!

Abre mucho los ojos
y la boca también,
como una gran O redonda.

Ven aquí, Annie, susurra,
así que me siento junto a ella
mientras ella coloca mi mano
en su abdomen.

¡Ahí!
Un golpecito minúsculo
un bulto que empuja mi mano
un golpe suave
y luego... ¡ahí!
¡Otro y otro!

Retiro la mano.

¡El bebé! dice mi mamá.
¡Es el bebé!

Vuelvo a poner la mano y espero
hasta que... ¡ahí! *¡Pum!*

Y toda la noche sólo puedo pensar
en la cosa
que crece
y se mueve
dentro de mi madre.

Vuelta, vuelta, vuelta

Estoy en la habitación del abuelo
hojeando álbumes de fotos
con él.

Vemos al abuelo cuando tenía mi edad
sentado en una mesa de día de campo
columpiando las piernas bronceadas
los brazos abiertos de par en par
como si quisiera abrazar
el mundo entero.

Es difícil ver a mi abuelo
en ese niño
en esa piel lisa
esas piernas flacas
ese cabello oscuro.

El abuelo estudia esta foto
durante mucho rato
como si él también se preguntara
cómo fue que ese niño
se convirtió en un viejo abuelo.

Pasa las páginas
haciendo una pausa para examinar
    a una abuela joven
—su nueva esposa—
sentada a la orilla de un río
con el rostro hacia el sol.

Así vamos pasando las páginas
que atestiguan sus vidas
vuelta, vuelta, vuelta
avanzando a gran velocidad a través de
mi mamá de niña
vuelta, vuelta, vuelta
hasta que yo también estoy allí
en los brazos del abuelo
recién nacida
y la abuela también está allí.

Me están sonriendo
como si fuera una bebé milagro.

Vuelta, vuelta, vuelta
crezco
la abuela ya no está
el cabello del abuelo se vuelve gris.

Vuelta, vuelta, vuelta.

Perspectiva

Manzanas, manzanas, manzanas:
treinta dibujos de una manzana.

Los primeros diez eran muy parecidos,
lo cual empezaba a molestarme

y luego, un día que salí
a correr
miré los brotes de las ramas por encima
   de mi cabeza
y pensé en la primavera
en la llegada de hojas nuevas
y en cómo normalmente veo la parte inferior
   de las hojas
y que tendría que treparme a los árboles
para ver las hojas desde arriba

y pensé en mi manzana.

Podría dibujarla desde arriba
mirándola hacia abajo
y de abajo
mirándola hacia arriba.

¡Podría ponerla de lado!

Y al pensar en eso
escucho

¡Hola, Annie!

¡Hola, Max!

Y corremos rodeando la curva
más allá de los abedules[6]
y Max corre más rápido que de costumbre

así que acelero el paso
colina abajo
s-a-l-t-a-n-d-o sobre el arroyo

[6] Altos y delgados.

y acelero mi paso
colina arriba
más allá del granero[7]

alrededor de los pastizales
y Max corre más y más rápido
hasta que llegamos a la banca roja
donde nos estiramos y nos dejamos caer

y Max mira el reloj de bolsillo de su abuelo
parece molesto

y dice
Me hiciste ir más lento, Annie.

Quiero darle un puñetazo
pero no lo hago.

En vez de eso, digo
No, pienso que tú me hiciste ir más lento, Max.

Él dice *¡Ja! Lo dudo.*

[7] Rojo descolorido.

Y luego me pregunta
otra vez otra vez otra vez
por enésima vez
si voy a unirme al equipo de atletismo
y le digo que no

y me llama gallina

y le pregunto por qué piensa
que si no me uno al equipo
soy una cobarde

y él dice que tengo miedo
de perder
que tengo miedo
de que alguien sea mejor
y corra más rápido

y le pregunto por qué alguien tiene que ganar
y alguien tiene que perder
y por qué alguien siempre tiene que
correr
más rápido

y me mira como si
me hubieran salido colmillos
y menea la cabeza

y dice
No lo entiendes, ¿verdad?

Y yo pienso
que es él
quien no lo entiende
pero ya se levantó y se está estirando
y empieza a correr
y esta vez lo dejo ir
delante de mí
más rápido más rápido más rápido
hasta que desaparece rodeando la curva

y yo puedo seguir a mi propio ritmo
y dejarme ir libre
y dejar que las manzanas den vuelta y rueden
en mi mente.

Mantente firme

Estoy en la habitación del abuelo
preparándome para dibujar mi manzana
   número cuarenta y cinco.

Está sobre la repisa de vidrio en su pared
y yo estoy sentada en el suelo
debajo de ella
estudiándola desde abajo.

El abuelo está examinando
mi gruesa carpeta de manzanas.

¡Qué cantidad de manzanas!
dice.
Me está dando hambre.

La manzana en la repisa de vidrio
no parece una manzana
desde abajo
y no sé cómo la dibujaré
¿seguirá siendo una manzana
si no *parece* una manzana?

Mientras contemplo la manzana
le cuento al abuelo sobre la entrenadora
que quiere que haga pruebas para el equipo
   de atletismo
y sobre Max, que me dice lo mismo
y sobre la entrenadora, que se la pasaba
   fastidiándome
y ahora que las pruebas de aptitud terminaron
la entrenadora ni siquiera
me mira a los ojos

y luego le cuento que Max dice
que soy una cobarde
y que yo no me siento una cobarde
y que me encanta correr
pero no quiero correr
en rebaño

y no me gusta observar a la gente
preocupada por ir rápido y más rápido

y por
ganar y perder

y todo el tiempo que hablo
el abuelo asiente, asiente
y finalmente dice
Mantente firme en tu posición, querida.

Y yo digo
Pero dicen que me voy a arrepentir...

y el abuelo dice
¿Crees que te vas a arrepentir?

Y yo digo
No... pero ellos piensan que estoy equivocada,
que no puedo saber
que me voy a arrepentir.

Y el abuelo dice
Equivocado. Correcto. Arrepentimiento.
Cuando dejé las carreras
todos me dijeron que estaba equivocado
y todos me dijeron que iba a arrepentirme.

Está mirando su fotografía
con el trofeo.

Le pregunto
¿Y te arrepentiste?

El abuelo voltea hacia mi carpeta de manzanas.
Ni por un imperceptible minuto
dice.

Y quiero que diga más
que me cuente por qué dejó las carreras
pero apoya la cabeza en el respaldo de la silla
y cierra los ojos
y se queda dormido.

Su rostro se ve diferente mientras duerme
los músculos relajados
las arrugas lisas.

¿Acaso esa mancha café en su mejilla
siempre ha sido tan grande?
¿Siempre ha tenido la forma
de una pera?

Dibujo su perfil:
la frente amplia
las cejas desordenadas
la nariz noble
la boca hacia abajo.

¿No es feliz en sus sueños?

Dibujo la mancha café
y la barbilla con hoyuelos.

Me recuesto en el suelo
y cierro los ojos
e intento conservar la imagen
del rostro de mi abuelo
en mi mente

y sueño
no con carreras
sino con lápices de colores
y carboncillos
y papel blanco, grueso, liso
y el rostro del abuelo.

¡Hola, Ana Banana!
Me grita la señora Cover cuando paso
   corriendo frente a la iglesia
¿Vas a podar mi pasto hoy?

Sí, señora Cover over
Iré más tarde.

Y estoy feliz de podar
el jardín de la señora Cover hoy
porque entonces tendré suficiente dinero
para comprar los carboncillos
y los lápices de colores
y el papel blanco.

¡Hola, Max!

Hola, Annie...

Max se ve enojado
envuelto en una nube negra
y ni siquiera intento acelerar.
Lo dejo rebasarme.
Puedo escuchar y sentir cómo sus pies
pisan fuerte
pum-pum, pum-pum

y cuando llego a la banca,
está sentado allí, con la cabeza
entre sus piernas
y jadeando.

Me estiro y me siento y le toco la espalda.

¿Qué te pasa?
pregunto.

Nada. Todo.

Me examino las plantas de los pies
deseando encontrar palabras,
palabras mágicas para decirle a Max
pero sólo tengo mugre en los pies
y una piedrita solitaria.

¿Ya tienes tus tenis?
pregunto.

Sé que el entrenador lo ha dejado
correr descalzo en las prácticas
pero sé que debe tener los tenis
para la primera competencia.

No, dice.

¿Vas a tener tiempo de conseguirlos
y hormarlos?

Habla viendo al suelo, enojado:
¡Cuestan mucho dinero, Annie!

¿No puedes usar los tenis de alguien más?
pregunto.

No responde.
Le examino los pies
preguntándome si quizá los tenis de mi papá
le quedarían
aun cuando sé que los tenis de mi papá
no son del tipo que Max tiene en mente
no están de moda
ni son nuevos, ni están limpios.

Yo tengo un poco de dinero,
me escucho decir
y quiero cortarme la lengua
porque no quiero soltar mi dinero
pero antes de que pueda decir más
Max se pone de pie y dice
No. Gracias.

Y se echa a correr
por el sendero
y yo me quedo en la banca
contenta en el fondo de que no quiera
    mi dinero
pero profundamente triste porque parece
enojado
conmigo
y
yo
no
sé
por
qué.

Y entonces me pregunto:
si me uniera al equipo,
¿dejaría Max de estar enojado conmigo?

Y si ganara las carreras,
¿dejaría Max de estar enojado conmigo?

Pero no me parece una buena razón
para unirme a un equipo:
sólo para que alguien no esté enojado contigo.

Hoy visitamos la clínica de maternidad
donde mi mamá tendrá al bebé.

No es como un hospital[8]
parece una casa
y tiene oficinas en el piso de abajo
y recámaras en el piso de arriba
donde nacerán los bebés.

Puedes elegir tu habitación:
la Colonial, que tiene una cama antigua
o la Moderna, que tiene puros ángulos rectos
o la Regencia, que está llena de holanes.

[8] A mi mamá no le gustan los hospitales.

Mi mamá eligió la Colonial.

Al lado de cada recámara hay una habitación
con una tina azul de hidromasaje
y al otro lado de la recámara
hay un baño
y enfrente, una oficina
con una incubadora, básculas
y aparatos que dan miedo.

Aquí sólo trabajan mujeres
casi todas son parteras
y ellas traerán al bebé
al mundo

y si hay algún problema[9]
hay un hospital a cinco minutos.

A mi mamá le encantó la clínica
pero mi papá estaba un poco preocupado
y camino a casa le preguntó a mamá
otra vez si estaba absolutamente segura
de que ahí era donde quería
tener al bebé

[9] No quiero pensar en problemas.

y ella dijo que sí
y le recordó que
en la clínica de maternidad
tanto él como yo
podríamos estar presentes
durante todo el parto.

No nos perderíamos ni un solo momento.

Papá se aclaró la garganta
e intentó sonreír
porque yo creo que realmente quiere estar allí
y ser un buen esposo y papá
pero también está un poco nervioso

y yo, yo estoy muy orgullosa de poder estar allí
me hace sentir adulta
pero también estoy un poco nerviosa

porque no quiero ver a mi mamá
con dolor
y no sé si podré permanecer tranquila
que es como las parteras aconsejan que
debemos estar.

Tenemos que estudiar los manuales
para saber cómo ayudar a mi mamá a respirar
y tenemos que ver los videos
para saber qué esperar

y el nacimiento del bebé extraterrestre
empieza a parecer más real
y yo voy a estar allí,
y tendré una hermana o hermano
y no tendré miedo.[10]

[10] Espero.

Manzana

Me siento muy orgullosa
de no haber perdido mi manzana.

La mayoría de mis compañeros ya van en su
tercera o cuarta manzana,
pero yo espero conservar la mía
hasta llegar al centésimo
dibujo.

La cáscara no se ve tan brillante
últimamente
y a veces parece que se ha
encogido,
pero sigue siendo MI manzana
completamente diferente

a la manzana de cualquier otra persona
lo que resulta sorprendente.

A veces puedo mirar fijamente un pedacito
de mi manzana
durante mucho tiempo
y mientras más lo estudio
más veo en ese pedacito:

las marcas más pequeñas
múltiples colores
pecas y manchas:
un paisaje en miniatura.

Pensé que sería más fácil dibujar
la manzana conforme pasaran los días,
pero es más difícil
intentar capturar todos esos
colores y pecas y manchas.

Hoy, mientras corría
y pensaba en la manzana,
sentí como si estuviera llena de esa manzana
y como si conociera la manzana[11]

[11] Ya sé que esto suena peculiar.

y estaba impaciente por llegar a casa
a dibujarla

pero
no
pude
encontrar
mi
manzana.

Siempre la dejo en el mismo lugar
en el marco de la ventana
pero busqué en toda mi habitación
y luego en el resto de la casa
y luego me asomé a la habitación del abuelo.

Estaba acostado en la cama
dormido
y yo estaba a punto de cerrar la puerta
de nuevo
cuando la vi:
mi manzana:
en su buró
con
una
gran
mordida.

La mordida

Estaba muy rica
dice el abuelo
cuando quito la manzana
de su buró
pero ya no quería comer más.
La estaba guardando para después.

Me siento triste por mi pobre manzana
     mordisqueada
pero la pongo de nuevo en el buró
y al salir de la habitación
se me ocurre una idea:
dibujaré la manzana
con una mordida
y luego dibujaré la manzana
con dos mordidas

y otra y otra
una manzana que disminuye
desaparece
hasta
que
sólo
quede
un
corazón

e inmediatamente me doy cuenta de otra cosa:
que no necesitaré mirar la manzana[12]
que puedo dibujar
la manzana que está en mi mente.

[12] La cual probablemente ya habrá desaparecido dentro
de mi abuelo.

Trazos

Los días que tenemos clase de arte
la señorita Freely nos muestra cómo utilizar
diferentes técnicas
pluma y tinta
carboncillo
pasteles
acrílicos.

He dibujado mi manzana
con cada uno de ellos
y mis favoritos son
la pluma y la tinta
y los gises pastel.

La señorita Freely nos pidió que escogiéramos
nuestros diez dibujos favoritos de manzanas

hasta ahora
y los puso
por todo el salón
cientos de manzanas

manzanas, manzanas, manzanas
por todos lados.

Doy vueltas y vueltas
por el salón
mirando todas las diferentes manzanas
y veo una
que parece sombrero
un sombrero manzana
y sé que debe de ser de Kaylee.

Al principio, creo que no encontraré la mía
entre los cientos de manzanas
pero las veo sobresalir
y las reconozco al instante
como mías.

Conozco mi trazo

y ahora entiendo lo que la señorita Freely
dice en cuanto al trazo

y cómo puedes ver la diferencia
entre los dibujos.

La señorita Freely está mirando
el resto de mi carpeta
sesenta manzanas
más las diez en la pared
setenta días
setenta manzanas.

Cierra la carpeta
y la abraza contra su pecho
y le da palmaditas
una vez
dos veces

y luego avanza
hacia la carpeta de otro alumno

y me estoy preguntando
qué piensa

cuando de pronto pienso
que será triste
dibujar la
manzana número cien

porque será el
corazón de la manzana

y porque ahora sé
que aún hay mucho más
que aprender
sobre las manzanas.

PALABRAS PROHIBIDAS

Hoy, el señor Welling puso una lista
   de palabras prohibidas
en el pizarrón.
Dice que utilizamos estas palabras demasiado
y que son palabras y frases vacías
y que deberíamos tratar de hablar y escribir
sin utilizarlas.

Aquí está su lista:
muy
es que
¿ya sabes?
eh
bueno
cosas
ajá

Kaylee levantó la mano y dijo
Bueno, qué...

El señor Welling dio un golpecito en el pizarrón
junto a la palabra *bueno*.

Kaylee volvió a empezar
Es que, ya sabes...

El señor Welling dio golpecitos en el pizarrón
en *es que* y *ya sabes*.

Kaylee se estaba enojando.

Lo que estoy intentando preguntar...

Hizo una pausa, escuchándose a sí misma
complacida de haber logrado
evitar palabras prohibidas
antes de continuar.

... es que... ¡espere! ¡No! ¡No toque el pizarrón!
Lo que estoy intentando preguntar...

Hizo otra pausa, pensando.

... es... es... bueno, demonios... no, bueno no...

Casi todos nosotros nos reímos
no podíamos evitarlo
y Kaylee se volvió hacia nosotros y dijo
Si creen que es tan fácil, ¡inténtenlo!

Entonces otras personas intentaron hablar
pero cada uno de nosotros apenas podía hacer
una sola pregunta
o un solo comentario
sin utilizar cuando menos alguna
de las palabras prohibidas.

Fue muy... ¡uy!, no, no muy...
fue *extremadamente* divertido.

Es más fácil evitar
las palabras prohibidas
por escrito
pero ya veo que utilizo
muy
mucho.[13]

[13] Mucho *muy muy muy.*

Sin tenis

Después de clases veo a Max en la pista
mientras su entrenador lo regaña.
Sostiene un par de tenis viejos y usados
y está agitándolos frente a Max.

No puedo oír las palabras del entrenador,
pero me imagino que está intentando que Max
el orgulloso Max
tome los tenis usados.

Max está de pie con los brazos cruzados
desafiante
frunciendo el ceño

y estoy pensando que no debería ser
tan orgulloso

cuando veo a la entrenadora de chicas
dirigirse hacia mí.

Me dice
Ayer te vi correr, Annie
cerca de la iglesia de piedra...
eras tú, ¿verdad?

Digo *Tal vez.*

Dice *Tienes una buena zancada...*

Cruzo los brazos
como Max.

¿De qué tienes miedo?
pregunta.

Tengo muchas ganas de golpearla[14]
porque hay algo en ella
algo indiscreto, entrometido, insistente
que me envuelve
pero no la golpeo
en vez de eso, digo

[14] Muy muy muy fuerte.

No tengo miedo.
Me encanta correr
pero me gusta correr sola.

Me estudia
incrédula
un poco desdeñosa
como si le escondiera algo
o estuviera mintiéndole
y luego sonríe
con una pequeña y delgada sonrisa
y dice
Puede que disfrutes
ser parte de un equipo.

Y ahora de veras quiero pegarle[15]
porque ya he oído esto antes
de otros entrenadores
que piensan que si no
quieres ser
parte de un equipo
es porque algo anda mal contigo:
tal vez eres el futuro
asesino del hacha

[15] Muy muy muy MUY fuerte.

y sé que tengo que encontrar
algo
para dejarla ganar
y entonces digo
Sí, señorita
a lo mejor me gustaría formar
parte de un equipo...
algún día.[16]

Y así, victoriosa,
dice
Bueno,[17] *piénsalo*
y avísame
cuando estés lista.

Y yo digo
sí, señorita
lo haré.

Y ella dice
Es que, ya sabes,[18]
no deberías desperdiciar
un don.

[16] Y a lo mejor no.
[17] Palabra prohibida.
[18] Palabras prohibidas.

Y yo digo
Sí, señorita.

Y cuando llego a casa,
arrojo mis zapatos
y huyo hacia el sendero
y corro fuerte y rápido
sobre el suelo suave de primavera
así que apenas veo a Max
salir a toda velocidad de entre los árboles

¡Hola, Annie!
pero no respondo
porque mi pecho está demasiado oprimido

y corremos más y más rápido
y hoy quiero ganarle a Max
a llegar a la banca
y vuelo colina abajo
v-u-e-l-o encima del arroyo
voy a toda velocidad por el sendero.

Vamos cuello a cuello
y jadeamos
y yo me elevo sobre el pasto
pum-pum, pum-pum.

Me siento liviana
y libre
cuando me lanzo hacia la banca
la alcanzo apenas un segundo
antes que
Max

y nos doblamos
jadeando sin aliento
y él dice
Ese ritmo está un poco mejor, Annie

y yo le pego con ganas
y me doy la vuelta y vuelo rumbo a casa
rápido, muy rápido, más rápido

y todo el camino
me disculpo
con el aire
con el cielo
por no querer
desperdiciar un don
pero sabiendo que estoy en lo correcto
y sabiendo que no me gusta
estar equivocada
lo cual probablemente sea
un grave defecto de carácter.

Un regalo

Siento
haberle pegado a Max

así que tomo el dinero que gané podando el pasto
y lo meto en un sobre
en el que escribo el nombre de Max
con la mano izquierda
para disfrazar mi letra

y lo deslizo entre
las ventilas de su casillero

y espero que sea suficiente
para que compre sus tenis
y sea parte de un equipo
y gane su carrera.

Bebé calabaza

Al bebé extraterrestre lo estamos llamando
el bebé calabaza
en parte porque parece que mi mamá
trae una calabaza
ahí dentro.

El bebé calabaza tiene ocho meses
mide más de treinta centímetros
y pesa casi dos kilos.

Puede darle hipo y chuparse los pulgares
y abrir los ojos.

Mi mamá está practicando su respiración
y papá y yo la estamos entrenando.
Tenemos que decirle cosas como

Relaja tu frente
relaja tus brazos
inhala
exhala.

Hemos visto los videos de partos
que me dieron pesadillas
porque lo muestran *todo*
y parece difícil y doloroso
tanto para la mamá como para el bebé
y un millón de cosas pueden salir mal

pero mi mamá dice que
un millón de cosas pueden salir bien, también
y que mil millones de cosas
ya salieron bien
para que nuestro bebé calabaza
tenga ojos y orejas y dedos de los pies
y corazón e hígado y pulmones
y
un latido
a-ushh-a-ushh-a-ushh.

Y ahora ya no sueño
con ratones ni conejos ni caballos bebés.
Sueño con bebés de verdad.

Anoche soñé
con un bebé que no era más grande
    que mi mano
y lo estaba cuidando
pero lo perdía
y me volvía loca
buscándolo por todos lados
hasta que finalmente lo encontraba
detrás del radiador
donde hacía demasiado calor
y el bebé se estaba
derritiendo
derritiendo
derritiendo.

Y no entiendo
por qué no puedo soñar
con bebés perfectos
con todos sus dedos en las manos
y todos sus dedos en los pies
y con una perfecta
hermana
perfecta.[19]

[19] Que no pierda ni derrita al bebé.

Ahora el señor Welling está en una cruzada
para que utilicemos el diccionario
para ayudarnos a encontrar sinónimos
porque nuestro vocabulario
necesita algo de ayuda
eso dice.

Está extremadamente fascinado con
    el diccionario.
Es un tesoro de palabras
dice.
¡Emocionante! ¡Sensacional! ¡Apasionante!

Intento usarlo
pero la mente se me detiene
y olvido hacia dónde iba

133

pero el señor Welling dice
que me *aviente* y escriba el primer borrador
rápido
como suelo hacerlo
y que luego regrese y
explore
el diccionario
en busca de palabras
más emocionantes
sensacionales
apasionantes.

Me estoy *esforzando*
para hacerlo
pero a veces
las *consecuencias*
me hacen *resonar*
de manera bastante *anormal*

aunque sí *descubrí*
algunas *revelaciones*
irresistibles.

Detecté una *cuantía* de sinónimos
para *enojado*.

Ahora que me tope con la entrenadora
de atletismo
puedo decir que me
acalora
agita
altera
amarga
contraría
disgusta
encoleriza
encrespa
enfada
enfurece
enoja
exacerba
exaspera
fastidia
impacienta
indigna
irrita
molesta
y
sulfura.

El extraño

¡Annie! ¡Annie!, llama el abuelo.

Parece asustado.

Lo encuentro acurrucado en su sillón azul
abrazando su pecho.

¿Qué pasa, abuelo?
¿Qué sucede?

Señala la fotografía en la pared
donde él está de pie con el trofeo.

¿Quién es ese chico?
pregunta el abuelo.
¡Se me queda viendo!

Ése eres tú, *abuelo.*

El abuelo mira la foto
con recelo.
Bueno, dice, *¡me está molestando!*

¿Quieres que me lo lleve?
pregunto.

La barbilla del abuelo tiembla.
Asiente con la cabeza.

Quito la foto de la pared
y me la llevo a mi habitación
y luego regreso con el abuelo
y le pregunto
¿Así está mejor?

Estudia el espacio vacío en la pared
con la barbilla aún temblorosa.
Se ve pequeño y asustado
como un niño.

Asiente con lentitud.
Me molestaba mucho
dice el abuelo.

Me siento en la cama junto al abuelo.
¿Por qué? pregunto. *¿Qué estaba haciendo?*

El abuelo parece un poco más valiente
ahora que la fotografía ya no está.

Se inclina hacia mí y susurra
¡No dejaba de mirarme!

No me gusta ver así a mi abuelo.
Siempre estaba haciendo algo
tan sabio
tan reconfortante.
Siempre fue el abuelo
el que sabía todo
el que se reía conmigo
y corría conmigo.

El abuelo recorre la habitación con la vista
como si se asegurara de que nadie nos escucha
y luego dice
Ve y pregúntale por qué me miraba fijamente.

Y como mi abuelo está tan serio
salgo de su habitación y entro en la mía
y digo, en voz alta,
¿Por qué estabas mirando a mi abuelo?

y escucho la respuesta de la foto
y regreso con el abuelo y digo
Te estaba mirando porque
le caes bien.

¡Pff! resopla el abuelo
pero una sonrisa ha aparecido en su cara
y se ve halagado, como un niño.

Le digo
¿Quieres que lo traiga de regreso?

El abuelo piensa un minuto
considerándolo
y entonces dice
No. No ahora.
Quizá pueda regresar mañana.

Tenis

Pum-pum, pum-pum

corro por el sendero
en el aire cálido
lleno de aromas de flores
y abejas que zumban.

¡Hola, Ana Banana!
¿Vas a cortar mi pasto hoy?

Sí, señora Cover over
Iré más tarde.

y me saluda
mientras pienso en volver a empezar
a ahorrar dinero

para los lápices y el papel
o quizá para los gises pastel.

¡Hola, Annie!

¡Hola, Max!

Se tambalea, da un traspié
recupera su paso.

¡Oye, ya tienes tus tenis!
digo
mirando los nuevos, blancos,
enormes tenis.

¡Ajá!
dice
con la barbilla hacia fuera como si
lo guiara por la vereda.

Se tambalea, da un traspié, frunce el ceño.
Aún no me acostumbro a ellos
dice.
Gran carrera el viernes.
Tengo que hormar estas cosas para entonces.

S-a-l-t-o sobre el arroyo
colina arriba
orgullosa de mi regalo secreto para Max[20]
sintiéndome bien de correr libre.

¿Vas a estar ahí?
pregunta.

Me tambaleo, doy un traspié
sorprendida de su pregunta
por la intensidad en su voz
como si le importara
que yo esté en la carrera.

¿En dónde? pregunto
lo más tranquila posible.
¿En la carrera?

¡Claro que en la carrera!
¿Irás a verme ganar?

No quiero pensar en eso.
No quiero verlo entre la multitud
¿y qué tal si no gana?

---

[20] Pero también un poco ofendida de que ni siquiera haya *mencionado* al donador anónimo.

Me alcanza, me toca el brazo.

Más te vale estar ahí, Annie.

Sí, digo, sintiéndome
apabullada
atolondrada
aturdida
azorada
confundida
desconcertada
desorientada
ofuscada
perpleja
trastornada
y
turbada.[21]

[21] Cortesía del diccionario.

Obsequios

El día del cumpleaños del abuelo le doy
un librito que hice:
veinte dibujos del abuelo.

Algunos son pequeños, partes del todo:
un ojo
una mano
un pie
la boca.

Algunos son grandes, las partes en conjunto:
dormido en la cama
sentado en el sillón azul
comiéndose mi manzana.

Y uno, mi favorito, al final:

el abuelo de niño
corriendo
por el sendero de un bosque.

El abuelo sonríe con cada dibujo
los toca
deteniéndose en cada uno
y cuando termina
me abraza
y dice
¡Me has estado espiando!

Me dice que él también tiene un obsequio
para mí.

Quiere que sepa dónde está
y qué es
pero dice que no puedo abrirlo
hasta que él estire la pata.

No soporto oírlo bromear
sobre estirar la pata
y quizá lo nota
porque dice

Sabes que me quedaría aquí para siempre
si pudiera, ¿verdad?

Me pide que abra un cajón
de su escritorio
y que encuentre una caja angosta, amarilla.

Esto es para ti
dice
para... después.

Dentro hay cartas.

Trece, dice.
Una escrita el día que naciste
y otras escritas en cada uno de tus cumpleaños.

Los sobres son un arco iris de colores:
amarillo, azul, rosa, violeta
y alrededor de cada uno hay un listón blanco.

Quiero abrirlas ahora
Quiero leerlas todas
pero sé que él no quiere que lo haga...
no ahora.

Estiro el edredón hasta su barbilla
y le beso la frente
y siento como si debiera abrazarlo
pero no sé cómo hacerlo.

La carrera

Después de la escuela, decido que iré a la carrera
y luego decido que no
y luego que sí
y luego que no.

Me cuelo en la pista
me paro a un lado.

Los competidores ya están allí
saltando
estirándose
yendo de un lado a otro
trotando.

Los chicos irán primero
luego las chicas.

Quisiera que Max no deseara esto tanto
y me siento extraña...
como si, para desearle bien a él
tuviera que desear que a los demás
    les fuera mal,
y me doy cuenta de que no quiero
ser parte de esto.

El aire está caliente
lleno de expectación.
Un saltamontes brinca mi pie
y segundos después
lo sigue otro saltamontes.

Ubico a Max entre su grupo
en su propio mundo
se estira
salta
sacude las manos
gira la cabeza de un lado a otro.

Camino alrededor del campo
cuando el primer grupo arranca:
corneta de inicio
silbatos
porras.

No puedo soportar ver al ganador
y a los perdedores.

Camino, camino, camino
hasta que
toca el turno al grupo de Max
la corneta resuena
Max sale volando
impulsándose
encontrando su paso.

Ahora, cuando rodea la curva
empieza a relajarse
se ve bien
la cabeza en alto
la barbilla hacia fuera
los brazos cerca del cuerpo

y luego se tambalea, da un traspié

y yo me congelo
como una estatua en el pasto
la boca abierta
la mano estirada hacia Max
como si pudiera empujarlo
a la meta.

Y durante mi momento congelado
Max se ha quitado los tenis
y yo pienso ¡bravo, Max!

Impulsa los brazos
en medio de la multitud
pero ha perdido terreno.

¡Oye, Annie, Annie, Annie!

Es la señora Cover over.

¡Annie, Annie, Annie!
¡Ven rápido!
¡Ya viene el bebé!

Por un momento me vuelvo a congelar
sin poder moverme
y observo que Max rebasa a un corredor
y a otro
y a otro

y veo al ganador
cruzar la línea de meta
y no es Max.

Me pregunto cómo se siente
y quiero ver su rostro
pero la señora Cover me jala de la manga
y me voy con ella.

¡Ya viene el bebé!

Papá lleva la maleta de mamá al coche
e intenta parecer tranquilo.
Mamá está en la cocina
recargada en la mesa
pff, pff, pff
jadeando.

Pff, pff, pff
ay, Annie, me alegro
pff, pff, pff
de que llegaras.

Corre a ver cómo está el abuelo
pff, pff, pff
ve si va a estar bien con la señora Cover
pff, pff, pff

El abuelo está sentado en su sillón azul
observando a la señora Cover con recelo
mientras ella jala una silla frente a él.

Annie, ¿quién es esta mujer?
me pregunta.

Abuelo, la conoces:
es la señora Cover
y se va a quedar contigo
mientras yo voy con mamá.
¡Ya va a tener al bebé!

Hay un indicio de reconocimiento
    en los ojos del abuelo.
Sí, le dice a la señora Cover
¡hoy vamos a tener un bebé!

La señora Cover saca una baraja
de su bolsillo.
¿Le gustan las cartas?
le pregunta al abuelo.

Sí, dice, *sí me gustan*
y luego se vuelve hacia mí
y dice

demasiado fuerte
Dile que no hable mucho, ¿sí?

La señora Cover sonríe
No se preocupe
dice.
Soy una mujer de pocas palabras.

Bueno, está bien,
dice el abuelo

y los dejo ahí
y corro escaleras abajo

y mamá va abriéndose paso
hacia la puerta del frente
pff, pff, pff.

Papá y yo la ayudamos a bajar los escalones
y partimos

y no puedo apartar la vista de mi madre
cuyos ojos están cerrados
y mi papá intenta manejar
mientras mira el camino y a mi madre
una y otra vez

y todo está sucediendo demasiado rápido
y no puedo pensar
y estoy emocionada
y estoy aterrada.

¿Y qué hay de Max?
¿Estará envuelto
en su nube negra
lanzando sus tenis al río?

Los manuales me han enseñado
que el nacimiento de un bebé
puede tomar mucho, mucho tiempo
así que trajimos
libros, revistas y una baraja
y suficiente comida para diez personas

pero cuando la partera examina a mi mamá
dice
Mmm... ya estás bastante avanzada.

Mi mamá esboza una débil sonrisa.

La partera la conduce directo
a la tina de hidromasaje.

La oigo entrar y suspirar con dificultad.
Papá está con ella.

Miro alrededor de la habitación Colonial:
la cama con sus sábanas azules
las ventanas con cortinas azules
la iluminación suave
y siento la tranquilidad de la habitación
lista para el bebé.

Escucho a papá decir:
Inhala, exhala
relaja la frente
inhala, exhala.

Me siento sobre la cama azul
sorprendida de cómo me siento
como si yo también estuviera sumergida
   en el agua
y hubiera un ritmo para la vida y la respiración
y dar a luz a un bebé

y por un momento me siento sola
y alejada
ya no soy la única hija de mi mamá
ya no soy el centro de su mundo

y al momento siguiente me siento
completamente ligada a mi mamá
como si yo fuera *ella*
o ella fuera *yo*
y siento como si fuera a llorar como un bebé.

Inhala, exhala
relaja la frente.

Pienso en todas las mamás
en todo el mundo
y en todos los bebés

y pienso que yo fui uno de esos bebés
y que ésta es mi mamá

y que tal vez algún día ésta seré yo

inhalando, exhalando.

PUJANDO

Trabajo de parto son las palabras adecuadas:
es trabajo, trabajo duro
para el cuerpo de la madre

pero la tina de hidromasaje ayudó
y cuando mamá está de nuevo en la cama
la partera dice
Está bien, ahora pujamos.

Mi mamá parece estar en trance
en otro lugar
y tenemos que llamarla
traerla de muy lejos
para que pueda pujar
descansar
pujar.

Estoy a un lado de ella
Papá del otro.
Mamá aprieta nuestras manos con fuerza[22]
pero no estoy muy segura
de que sepa que estamos ahí
tan profundo es su trance.

Cuando la partera anuncia
que ya ve la cabeza del bebé
mi papá y yo nos miramos
¡La cabeza! ¡La cabeza del bebé!

Esto parece asombroso
a pesar de que nos habíamos preparado
para esto.

Una asistente entra y revisa
el pulso del bebé
le susurra a la partera
y ahora hay una nueva urgencia
cuando la partera dice
Quiero que pujes AHORA
quiero que pujes con mucha fuerza AHORA
¡Tenemos que sacar a este bebé AHORA!

[22] Muy muy muy fuerte.

Y siento que todo se derrumba
tan frágil e incierto y precario
pero debemos tranquilizar a mi madre,

así que le secamos la frente
y le apretamos las manos y le decimos
que lo está haciendo muy bien
y que el bebé ya viene
y que *¡Puje, puje AHORA!*

El rostro de la partera es solemne, serio
sus manos trabajan con velocidad
su voz es firme cuando dice
algo sobre el hombro
y algo sobre pujar

pero mi mamá parece no oír
y tenemos que hablarle en voz muy alta
¡Puja, puja AHORA!

El bebé sale
así, nada más,
apresuradamente
a las manos enguantadas de la partera

y al siguiente instante
el bebé está ahí
sobre la sábana azul
y el bebé no se mueve.

Mi papá y yo miramos fijamente al bebé
grisáceo e inmóvil.

Apartamos la mirada
y volteamos hacia mi madre
cuyo rostro está expectante.
¡Ya salió el bebé! digo
pareciendo más esperanzada de lo que estoy.

Siento como si tuviera que *desear* que
      el bebé viviera:
Vive, vive, vive,
respira, respira, respira.

La partera y la asistente
trabajan rápidamente

despejando la nariz y la boca del bebé
y pienso
¿Cómo puede ser que el bebé no esté vivo
si estaba moviéndose
y su corazón latía
hace apenas unos minutos?
¿Y cómo puede ser que todo esto:
todas las náuseas matutinas y los dolores de
espalda
y la panza que crecía
y los sueños
y el trabajo de parto
y los pujidos
cómo puede ser que todo esto NO termine en
un bebé vivo que respire?
¿Cómo podríamos soportarlo?

La partera dice
Sólo un par de bocanadas de oxígeno,
eso es todo lo que necesitamos.
Su voz parece tensa.

Veo el tubo de oxígeno
oigo un ruido suave
un *pfft, pfft*
mientras el aire entra en el bebé
y tal vez sólo haya pasado un minuto

desde que el bebé salió,
pero parece como si hubiera durado
   una eternidad
como si hubieran sido horas y toda una vida.

Me vuelvo hacia mi madre
sin querer mostrarle mi miedo
pero con la necesidad de ver su rostro
y cuando lo hago
todos oímos

¡Buaa, buaa!
y ahí está el bebé
retorciéndose
y llorando
y respirando,

y el alivio invade
la habitación:
puedes verlo, sentirlo, escucharlo.

Todos rompemos en llanto,
mamá, papá, yo, la partera

y sólo entonces mi papá y yo
miramos de nuevo al bebé
para ver si es niño o niña

y mi papá le anuncia a mi mamá con orgullo
que tienen un hijo
y que yo tengo un hermano.

La partera levanta al bebé y lo pone
    en el pecho de mi madre
y ella dice
Oh, oh, oh, oh, oh
y ríe y llora
y yo no puedo apartar la vista del bebé
cuyos ojos están abiertos
y miran directamente a los ojos de mi madre.

El bebé tiene manos y pies y
dedos de manos y de pies y orejas
y ojos y nariz perfectos
(y es un bebé *humano*
lo cual es un gran alivio)

y yo sé que todo el mundo dice esto
pero no sé de qué otra manera explicarlo:

es un *milagro*...
una maravilla...
un asombroso
deslumbrante
estupendo

fabuloso
fenomenal
increíble
prodigioso
sorprendente
milagro.

OBSERVANDO

Llamo al abuelo para darle la noticia.
Llora un poquito
y luego dice
¿Todos están bien? ¿Tu mamá? ¿El bebé?
¿Tu papá? ¿Tú?

Sí, sí, sí, todos estamos bien.

Es la mitad de la noche
y mamá ha amamantado al bebé
y ahora ella y mi papá están dormidos
en la cama
y yo estoy sentada en el sillón
    demasiado acolchonado
en la tranquila habitación azul
cargando a mi nuevo hermano.

Todo lo que puedo hacer es mirarlo
mientras duerme.
Lo miro fijamente y lo escucho
para asegurarme de que esté respirando
y toco sus dedos pequeños
tan largos y perfectos
y toco su mejilla tan tibia, tan suave

y le susurro:
le digo que es un milagro
le digo que es perfecto en todos sentidos
y que lo amaremos y cuidaremos
siempre.

La partera dice que después de que mi mamá
duerma bien
y coma bien
podremos irnos a casa.

Esto es aterrador
porque parece demasiado pronto
y el bebé se ve tan frágil
¿y qué pasa si no sabemos qué hacer
y qué pasa si hay una emergencia?
¿Qué pasa si deja de respirar
y necesita más bocanadas de aire?

No sé cómo los bebés
tan pequeños, tan frágiles
logran crecer
cómo sus corazones pueden latir
    con suficiente fuerza
y cómo continúan respirando
y cómo no perecen
con los peligros interminables
que hay a su alrededor:

¿y si se le cae a alguien?
¿y si no come?
¿y si se enferma?

Nuestro bebé depende de nosotros para todo:
calor, alimento, ropa,

protección, seguridad
y amor.

Necesita que lo amemos
y hace que me preocupe
por todos los bebés en el mundo

que quizá no estén arropados o alimentados
o protegidos o amados.

El bebé parece infinitamente delicado
y, sin embargo, infinitamente entero,
ya es una persona.

Lo miro por horas
preguntándome quién *es*

y cómo se verá
conforme crezca
y qué pensará y hará.

Las respuestas parecen estar todas guardadas
en el pequeño bulto que es este bebé
respuestas que ya están ahí
esperando florecer
como el retoño de un árbol.

Quisiera que todos los bebés en todos lados
pudieran llegar a una familia
que los quisiera
tanto como queremos al nuestro.

No sé cómo yo
que una vez fui un bebé así de pequeño
llegué a ser *yo*

ni tampoco cómo mi madre o mi padre
o el abuelo o Max
todos alguna vez tan pequeños y frágiles
se convirtieron en quienes son

ni sé si
cuando todos éramos bebés extraterrestres
ya éramos
tanto de quienes somos ahora.

El bebé no recordará
que le cambiamos los pañales
miles, miles de veces
ni que le cantamos
y lo cargamos
y lo bañamos
y limpiamos su vómito

así como yo no recuerdo
a mis padres ni a mis abuelos
haciendo todas estas cosas por mí.

Este bulto es nuestro bebé
mi hermano.

Éste es Joey.

DORMIR

El abuelo está acostado en su cama
con el bebé dormido sobre su pecho
los dos acurrucados juntos
apaciblemente.

Me acuesto junto a ellos
deslizando un brazo sobre ambos
y me aseguro de que los dos estén respirando
pum-PUM, pum-PUM
y me siento infinitamente feliz
de que este bebé milagro
haya llegado con nosotros
e infinitamente
infinitamente
infinitamente
triste

de que mi abuelo
no tenga toda una
larga
vida
por
delante.

Un secreto

Voy corriendo por el sendero
colina arriba.

¡Hola, Ana Banana! ¿Cómo está ese bebé?

¡Bien, señora Cover over! ¡Perfecto!

Se siente tan bien correr
llenarse de aire
donde todo se mira verde y frondoso
en armonía.

Hola, Annie...

La voz de Max es agria
no está en armonía.

Hola, Max.

Corre con la cabeza gacha
sin hablar
malhumorado
tenso.

No puedo evitarlo:
¡Tenemos un nuevo bebé!
Es niño y se llama Joseph —Joey—
como mi abuelo
y es hermoso y...

Fantástico, simplemente fantástico
murmura Max
interrumpiéndome,
cortando mis palabras
dejándolas caer sobre el sendero
como hojas muertas.

Supongo que no viste la carrera, ¿verdad?
pregunta.

Intento decirle que estuve ahí,
pero que la señora Cover fue a buscarme
porque venía el bebé

pero vuelve a cortar mis palabras:
Pues no gané.

Lo dice con aspereza
de manera acusadora
como si fuera mi culpa.

Corremos más allá de los abedules[23]
s-a-l-t-a-m-o-s sobre el arroyo
más allá del granero[24]
alrededor de los pastizales.

Llegamos a la banca
y nos estiramos y nos dejamos caer
y yo reviso las plantas de mis pies
en busca de palabras
pero no las encuentro
y finalmente digo
¿Te sentiste mal?

Su respuesta es un siseo:
¡Ssssí!
¿Qué? ¿Debería sentirme bien?

---

[23] Altos y delgados, estallan repletos de hojas.
[24] Recién pintado: ¡rojo brillante!

Era sólo una carrera
intento decir, pero él corta-corta mis palabras.

Tenía que ganar esa carrera.
Tenía *que hacerlo.*

No pregunto por qué.

Bajamos de nuevo por el sendero
volviendo sobre nuestros pasos
la nube negra de Max
a nuestro alrededor
pero cuando llegamos al lugar
donde normalmente nos separamos
lo tomo del brazo
y le pido que venga conmigo.

Intenta zafarse.
Quieres mostrarme al bebé,
¿verdad?
No quiero ver al...

Pero corto sus palabras
corto-corto:
Max, tú vienes conmigo.
Sólo te llevará cinco minutos
y no vamos a discutir.

Lo llevo arrastrando
hasta sentir que cede
y cuando llegamos a mi casa
lo meto de un jalón y lo arrastro arriba
donde mi mamá, recargada en la puerta
de la habitación del abuelo
le sonríe al abuelo
mientras él, sentado en su sillón
tiene al bebé acurrucado en su pecho.
El abuelo tararea una melodía
para el bebé
y cuando nos ve
acerca al bebé un poquito más
hacia él.

No hay problema, abuelo, es Max.
¿Te acuerdas de Max?

El abuelo lo estudia un momento
y luego asiente
y libera al bebé
hacia mis brazos abiertos.

Cuando le ofrezco el bebé a Max
él da un paso hacia atrás
pero yo lo acomodo suavemente entre
sus brazos.

Para mi sorpresa
Max lo toma con delicadeza
y lo acuna en sus brazos
como si hubiera cargado bebés
toda su vida.
Acaricia la mejilla del bebé
y luego mira alrededor de la habitación.

Mira de reojo la fotografía del abuelo
con su trofeo.

Es la fotografía que el abuelo
me había pedido que me llevara
pero que, veo, ya recuperó.

Max le pregunta al abuelo sobre la fotografía
y hablan sobre carreras y correr
y yo los dejo solos
mientras me baño y me cambio,
y cuando regreso
el abuelo tiene a Joey de nuevo
y Max sostiene una caja
y está dándole las gracias a mi abuelo.

Cuando sale, Max dice que el abuelo
le dio un regalo
y le contó un secreto sobre correr.

Abre la caja y me muestra el regalo:
son los tenis del abuelo
de sesenta años de antigüedad.

¡Tenis de la suerte! dice Max.

Están viejos y manchados
y no se parecen nada
a los tenis nuevos que Max compró.

Estoy un poco celosa de que el abuelo
le haya dado estos tenis a Max
y no a mí.

Le pregunto a Max cuál era el secreto
y Max dice
No puedo decírtelo, ¿o sí?
Es un secreto.

Pero sonríe y su mal humor se ha ido
y dice adiós con la mano mientras trota
    por el camino
acunando sus tenis de la suerte
y su secreto.

Arriba, tomo a Joey de los brazos del abuelo
y aprieto el bulto tibio contra mí

y el abuelo dice
Te estás preguntando por qué le di los tenis,
¿verdad?

Sí.

Cariño, a ti te gusta correr descalza
dice
y no necesitas esos viejos tenis apestosos.

Le pregunto sobre el secreto
del que le habló a Max.

Cariño, dice, *tú ya conoces el secreto.*

Joey se despierta, se retuerce, llora
y el abuelo le susurra:
Corre por el placer de correr.
Ése es el secreto, bebé.

El paquete

Amarrada a mi casillero hay una bolsa
   de plástico
y pegada a la bolsa hay una tarjeta amarilla
con mi nombre garabateado en letras chuecas
como las de un niño.

Dentro de la bolsa:
una docena de lápices de colores
y
papel blanco, liso, grueso.

¡Un regalo!
¡Un regalo anónimo!

Pero sé quién me lo dio.

Después de clases, corro corro corro...

¡Hola, Annie!

¡Hola, Max!

Y seguimos nuestro camino
como siempre lo hacemos
subiendo y bajando las colinas
s-o-b-r-e el arroyo

y en la banca menciono[25]
el regalo extraordinario
el regalo anónimo

y volteo a ver a Max
que voltea a verme
y
no parpadeamos
hasta que dice
¿Lista para correr de regreso?

Y yo digo
Lista.

[25] Casualmente.

Y así nos vamos
inhalando
exhalando
pum-pum, pum-pum

y creo que es raro
pero que está bien
que es como nosotros hablamos
correr correr correr
pum-pum, pum-pum.

CHICO MMM...

El último día de clases
mientras Kaylee y yo vaciamos nuestros
   casilleros
oímos a dos chicas más grandes
hablar sobre Max:

¡Es tan, no sé, bueno,[26] *misterioso!*

¡Ajá,[27] *y tan lindo, tan mmm...!*

Me río, no estoy segura de qué.

Kaylee me pregunta si me gusta Max.

[26] Palabra prohibida.
[27] Ídem.

Claro, digo.

Bueno, pero, ya sabes[28]
insiste Kaylee
es que,[29] ¿*te gusta de verdad?*

Me encojo de hombros
igual que Max
y pienso en el malhumorado Max
y en el Max que corre
y el Max que me quita una hoja
del cabello
y el Max que me molesta
y el Max que carga a Joey
y el Max que quiere secretos
y tenis de la suerte
y que tiene grandes sueños

y no sé cómo responderle a Kaylee
porque me gusta Max
todo Max
incluso cuando está de malas
    o cuando me molesta

---

[28] Palabra prohibida.
[29] Ídem.

pero no estoy lista
aún
para pensar en él
de la manera en que otras chicas
piensan en él

y quiero que siga siendo Max
el mismo malhumorado Max
y quiero que corra
un tiempo
más
conmigo.

Cien manzanas

El abuelo, el bebé y yo
vemos lo que hay
en mi carpeta de manzanas.
El abuelo señala sus favoritas
mientras Joey mira sabiamente
como si entendiera
lo que está viendo.

El abuelo llega a la manzana número
    noventa y nueve:
un corazón delgado
devorado
una columna estrecha con mordeduras
con un tallo digno aunque doblado
y la pulpa pálida
oscureciéndose en las orillas.

Cuando el abuelo da vuelta a la página
a la manzana número cien
escucho una pequeña respiración.

Toma el dedo del bebé
y juntos recorren el trazo
del dibujo:

una semilla café, pequeña y brillante
con forma de lágrima
elegante
tan vieja como nueva
silenciosa
y
llena
de
secretos.